Vegetarisch / Vegan genießen und abnehmen Ohne Fleisch – Das Kochbuch mit den besten Rezepten

Von Gudrun Wiesenbach

FSC
www.fsc.org
MIX
Papier aus ver-
antwortungsvollen
Quellen
Paper from
responsible sources
FSC® C105338

Vegetarisch / Vegan genießen und abnehmen Ohne Fleisch – Das Kochbuch mit den besten Rezepten

Von Gudrun Wiesenbach

Impressum

Die Inhalte dieser Publikation sind sorgfältig recherchiert, dennoch haftet weder der Autor noch der Verlag für die Folgen von Irrtümern, mit denen der vorliegende Text behaftet sein könnte, ebenso wenig für die Ausführung der Empfehlungen.

Die Inhalte und Ideen dienen lediglich der Unterhaltung. Für etwaige Folgen in der Ausführung kann keine Haftung übernommen
werden.

Impressum:

Rechteinhaber
Schildknecht und Sieben UG

Herstellung und Verlag: BoD – Books on Demand, Norderstedt

ISBN: 9783751952903

Inhaltsverzeichnis

Vorwort

Hier finden Sie die tollsten veganen bzw. vegetarischen Rezepte ohne Fleisch, die leicht und easy nachzukochen sind.

Sie wollen tolle neue Gerichte entdecken? Sind Sie auf der Suche nach Rezepten für Ihre Familie, die gesund und mit Liebe zubereitet werden.

Hier finden Sie sie!!!

Die Lebensmittel sind überall erhältlich. Mit allen Zutaten, die im Buch beschrieben werden, ist ein vollwertiges Kochen ein Leichtes für Sie. Diese Ernährung ist auch gut für Schwangere geeignet oder für Personen, die sich zuckerfrei ernähren möchten.

Einige schnelle Gerichte aus diesem Buch sind auch ideal für Bodybuilding, Sport und Diät interessierte Personen.

Für das Thema Muskelaufbau sind hier ebenfalls viele Gerichte im Buch enthalten.

Die Personen, die es deftig mögen, werden hier ebenfalls tolle Rezepte finden.

Für Faule, die das Leben genießen und lecker essen wollen, ist hier auch was dabei!

In den verschiedenen Kapiteln sind zahlreiche Rezepte aufgeführt, für das Frühstück, Mittagessen und Abendessen.

Hier sollte Jeder ein Rezept für sich und seine Liebsten finden. Auch wenn Sie sich nicht ausschließlich vegetarisch oder vegan ernähren, werden Sie hier überrascht sein über die leckeren Gerichte. Probieren Sie es doch einfach mal aus!

Vielleicht entdecken Sie hier Ihr neues Lieblingsrezept und begeistern Ihre Familie damit.

Wir wünschen Ihnen viel Spaß mit den Rezepten und freuen Sie sich jetzt schon auf das Lob Ihrer Familie und Freunde.

Ihre

Gudrun Wiesenbach

Über die Autorin

Aus Kostengründen hat sich die Autorin dieses Buches bewusst dazu entschieden, nur die Rezepte nieder zu schreiben. Es gibt in diesem Buch keine Bilder der Gerichte, denn jeder Koch gestaltet seine Teller nach seinem Ermessen.

Aus Erfahrung hat sie selber erlebt, dass Gerichte, die sie nachgekocht hat, aus anderen Büchern, nie wirklich so aussahen, wie auf den Abbildungen in den anderen Kochbüchern. Deshalb hat sie sich bewusst dazu entschieden, keine Beispiel-Bilder in dieses Buch aufzunehmen.

Die Autorin Gudrun Wiesenbach hat sich nach ihrer Ausbildung zur Köchin ihre Sporen in diversen Hotels in Österreich, in der Schweiz und in Deutschland verdient.

Egal ob deftige Küche oder Sportlernahrung, schnelle Gerichte oder Diät bewusste Küche, auf allen diesen Gebieten konnte sie sich stetig weiterentwickeln. Aber erst als sie ihren Mann kennen lernte, der ein begeisterter Bergsteiger ist, fand sie die Liebe zu den vegetarischen und veganen Gerichten. Durch ihre jahrelange Erfahrung konnte sie diese Gerichte verfeinern und zu wahren Kunstwerken vollenden.

Immer wieder neue Ideen bekommt sie von ihren beiden heranwachsenden Kindern, wobei ihr Sohn die vegetarischen Gerichte besonders mag und ihre Tochter eher die vegane Küche bevorzugt. Die Fantasien und Ideen von Gudrun werden immer wieder gerne probiert und für gut und lecker befunden.

Vegetarisches Frühstück

Müsli mit Zwieback

Zutaten für 2 Personen:

1 Apfel
500 g fettarmer Joghurt
2 EL Honig
Saft einer Zitrone
4 Vollkornzwieback
4 EL Brombeeren

Zubereitung:

1. Den Apfel abwaschen, halbieren, das Kerngehäuse entfernen und raspeln.
2. Den Vollkornzwieback grob zerkrümeln.
3. Die Zitrone heiß abwaschen, in der Mitte durchschneiden und den Saft ausdrücken.
4. Die Brombeeren abbrausen.
5. Bis auf die Brombeeren alle Zutaten in einer Schüssel verrühren. Vor dem Servieren das Müsli mit den Brombeeren garnieren.

Power Joghurt mit Himbeeren

Zutaten für 2 Personen:

180 g Himbeeren
2 Bananen
100 g Haferflocken
1 Messerspitze Vanillepulver
30 ml Agavendicksaft
400 g Soja-Joghurt
80 ml Soja-Reisdrink
20 g Kokosflocken
Prise Zimt

Zubereitung:

1. Die Himbeeren abbrausen und trocknen. Die Hälfte abnehmen und auf einem Teller mit einer Gabel zerdrücken. Die Bananen aus der Schale lösen und in kleine Stücke schneiden.
2. Alle anderen Zutaten in eine Schüssel geben und gut miteinander verrühren.
3. Vor dem Servieren das Power-Frühstück mit den restlichen Himbeeren garnieren.

Protein Bowl

Zutaten für 4 Personen:

2 Avocados
150 g rote Weintrauben
400 g Hüttenkäse
400 g Kichererbsen
50 g Kürbiskerne
1 EL Kräuter der Provence
2 EL Sesam
1 EL Olivenöl
1 TL Paprikapulver

Zubereitung:

1. Die Kichererbsen in einem Sieb abgießen und abtropfen lassen.
2. Eine Pfanne erwärmen und darin das Olivenöl erhitzen. Die Kichererbsen hineingeben und andünsten. Die Gewürze zufügen, alles gut verrühren und einige Minuten aufkochen lassen.
3. In der Zwischenzeit die Weintrauben abbrausen und in der Mitte durchschneiden. Die Avocado von der Schale befreien und das Fruchtfleisch in Stücke schneiden.
4. Den Hüttenkäse würfeln und anschließend in Schüsseln verteilen. Die Avocado sowie die Kichererbsen darüber geben und mit dem Sesam und den Kürbiskernen garnieren.

Bauernfrühstück

Zutaten für 2 Personen:

1 gelbe Paprika
400 g Kartoffeln
100 g Zucchini
50 g Fetakäse
2 Eier
20 g schwarze Oliven
1 EL Butterschmalz
50 ml fettarme Milch
1 TL Kräuter der Provence
1 EL Rosmarin
Prise Pfeffer und Salz

Zubereitung:

1. Die Paprika abbrausen, halbieren, die Kerne und das Weiße entfernen und in kleine Stücke schneiden. Die Kartoffeln schälen und würfeln. Die Zucchini abwaschen und kleinschneiden. Den Fetakäse in einem Sieb abtropfen lassen und anschließend würfeln.

2. Eine Pfanne erhitzen und darin das Butterschmalz zum Schmelzen bringen. Die Kartoffeln, Paprika und Zucchini hineingeben und etwa 6-8 min anbraten.
3. In einer Schüssel Milch und Eier miteinander verquirlen und mit Pfeffer, Salz und den Kräutern abschmecken.
4. Den Feta, die Eiermilch und die entkernten Oliven in die Pfanne geben und alles stocken lassen.
5. Vor dem Servieren mit dem Rosmarin garnieren.

Pancakes mit Bananen und Äpfel

Zutaten für 4 Personen:

1 Apfel
2 Bananen
2 EL Milch
4 EL Haferflocken
1 EL Vanillezucker
4 EL Mehl
1 TL Backpulver
2 Eier
1 EL Butter
Prise Salz

Zubereitung:

1. Den Apfel schälen, halbieren, das Kerngehäuse entfernen und in kleine Stücke schneiden. Die Bananen aus der Schale lösen und anschließend mit der Gabel gründlich zerdrücken.
2. Die restlichen Zutaten in eine Schüssel geben und gut miteinander verrühren.

3. Eine Pfanne erhitzen und darin die Butter zerlassen. Nun den Teig portionsweise hineingeben und den Pancake beidseitig anbraten.
4. Den Vorgang solange wiederholen, bis der Teig vollständig aufgebraucht ist.

Porridge mit Amaranth

Zutaten für 2 Personen:

50 g gepuffter Amaranth
400 ml Sojamilch
1 TL Agavendicksaft
2 EL gemischtes Obst
2 EL Nüsse nach Wahl

Zubereitung:

1. Einen Topf erwärmen und darin die Sojamilch zum Kochen bringen.
2. Danach den Amaranth zugeben und gut verrühren. Nun noch den Agavendicksaft zufügen, verrühren und schon ist ein cremiges Porridge fertig.
3. Das Porridge auf Schüsseln verteilen und mit Obst und Nüsse vor dem Servieren garnieren.
4. Die fertige Walnuss Mischung wird jetzt in die Eismaschine zur Fertigstellung gegeben. Alternativ dazu wird die Masse in einem geeigneten Behälter in den Gefrierschrank für etwas 45 min gestellt.

Fruchtiges Quinoa Frühstück

Zutaten für 4 Personen:

2 Äpfel
400 ml Wasser
200 g Quinoa
1 TL Honig
50 g Rosinen
Prise Zimt

Zubereitung:

1. Die Äpfel schälen, halbieren, das Kerngehäuse entfernen und in dünne Scheiben schneiden.
2. Das Wasser in einen Topf geben und zum Kochen bringen. Den Quinoa zugeben und 6-7 min aufkochen lassen.
3. Die restlichen Zutaten dazu geben und gut miteinander verrühren. Danach in Schüsseln geben und noch warm servieren.

Hüttenkäse mit Apfelstücken

Zutaten für 2 Personen:

2 Äpfel
400 g Hüttenkäse
1 EL Zimt
4 EL Apfelmus
2 EL gehackte Haselnüsse

Zubereitung:

1. Die Äpfel schälen, halbieren, das Kerngehäuse entfernen und in kleine Stücke schneiden.
2. Die Apfelstücke zusammen mit den anderen Zutaten, ausgenommen die Haselnüsse, in eine Schüssel geben und gut miteinander verrühren.
3. Vor dem Servieren mit den Haselnüssen dekorieren.

Weintrauben Joghurt

Zutaten für 4 Personen:

100 g rote kernlose Weintrauben
2 Bananen
400 ml Milch
300 g Joghurt
4 EL kernige Haferflocken

Zubereitung:

1. Die Weintrauben abwaschen und halbieren. Die Bananen aus der Schale lösen und in kleine Stücke schneiden.
2. Alle anderen Zutaten in eine Schüssel geben und gründlich verrühren. Das Obst unterheben und noch mal miteinander mischen.
3. Im Sommer lassen sich super 2-4 Eiswürfel zugeben, damit es noch erfrischender wird.

Pfirsich-Müsli

Zutaten für 2 Personen:

4 Pfirsiche
25 g Leinsamen
200 ml Wasser
100 g kernige Haferflocken
200 g Pfirsichjoghurt

Zubereitung:

1. Wasser in einen Topf geben und erhitzen. Die Haferflocken und de Leinsamen zugeben und aufquellen lassen.
2. Den Pfirsich abbrausen, halbieren und den Kern entfernen. Danach die Pfirsiche in Stücke schneiden.
3. Die restlichen Zutaten in eine Schüssel geben und verrühren. Den Pfirsich unterheben und direkt servieren.

Vegetarisches Mittagessen

Käsetopf

Zutaten für 2 Personen:

1 rote Paprika
1 gelbe Paprika
3 Tomaten
250 g Champignons
1 Zucchini
1 Packung Mozzarella-Käse
125 g Feta-Käse
100 g Frischkäse
1 EL Olivenöl
Prise Chili, Salz und Pfeffer

Zubereitung:

1. Die Paprika abbrausen, halbieren, das Weiße und das Kerngehäuse entfernen und in kleine Stücke schneiden. Die Tomaten abwaschen, in der Hälfte durchschneiden, den Grünansatz entfernen und würfeln.
2. Die Champignons putzen und in Scheiben schneiden. Die Zucchini abwaschen und anschließend in würfeln. Den Mozzarella-Käse in einem Sieb abtropfen lassen.
3. Den Feta-Käse in gleichgroße Stücke schneiden.
4. Das Öl in einer Pfanne erhitzen und darin das Gemüse anschwitzen, bis es bissfest ist.
5. Die restlichen Zutaten zugeben und mit den Gewürzen abschmecken.
6. Den Käsetopf ungefähr 10-12 min kochen lassen und noch warm servieren.

Feta-Gemüse

Zutaten für 2 Personen:

1 Zwiebel
1 gelbe Paprika
250 g Kartoffeln
1 Zucchini
1 Knoblauchzehe
½ Aubergine
150 g Tomaten
3 EL Olivenöl
50 g Feta-Käse
1 EL Kräuter der Provence
1 EL gemahlener Thymian
Prise Pfeffer und Salz

Zubereitung:

1. Die Zwiebel und den Knoblauch schälen und in kleine Stücke schneiden. Die Paprika abwaschen, halbieren, das Weiße und das Kerngehäuse entfernen und würfeln. Die Kartoffeln schälen, abwaschen und in dünne Scheiben schneiden. Die Zucchini und die Aubergine abbrausen und würfeln. Die Tomaten abwaschen, halbieren, den Grünansatz entfernen und in kleine Stücke schneiden. Den Feta-Käse in einem Sieb abtropfe lassen und würfeln.

2. Das ganze Gemüse zusammen mit den Kartoffeln in einer Auflaufform gleichmäßig verteilen. Anschließend das Öl darüber geben und alles mit Salz, Pfeffer und Kräuter der Provence würzen.
3. Den Backofen auf 200 Grad Ober-/Unterhitze oder 180 Grad Umluft vorheizen und die Auflaufform für etwa 45-60 min hineinstellen.
4. Vor dem Servieren mit dem Feta garnieren und dem Thymian dekorieren.

Gnocchi-Pfanne

Zutaten für 4 Personen:

2 Knoblauchzehen
2 Zwiebeln
400 g Zucchini
250 g Tomaten
400 g Champignons
600 g Gnocchi
4 EL Soja-Sauce
5 EL Olivenöl
3 EL italienische Kräuter
Prise Pfeffer und Salz

Zubereitung:

1. Die Zwiebel und den Knoblauch schälen und kleinschneiden. Die Zucchini abwaschen und anschließend würfeln. Die Tomaten abbrausen, in der Hälfte durchschneiden, den Grünansatz entfernen und ebenfalls in Würfel schneiden. Die Champignons putzen und in dünne Scheiben schneiden.
2. Die Gnocchi nach Packungsanleitung zubereiten und in einem Sieb abgießen.
3. Eine Pfanne erhitzen und darin das Öl erwärmen. Die Gnocchi hineingeben und beidseitig anbraten. Danach auf einen Teller geben und Seite stellen.

4. Das kleingeschnittene Gemüse in die Pfanne geben und leicht andünsten. Die Soja-Sauce und die Kräuter zufügen und alles ungefähr 10 min aufkochen lassen.
5. Zum Schluss die Gnocchi zugeben, mit Pfeffer und Salz abschmecken, alles miteinander verrühren und noch warm servieren.

Gemüse-Omelett

Zutaten für 2 Personen:

4 Tomaten
4 Frühlingszwiebeln
1 gelbe Spitzpaprika
1 rote Spitzpaprika
60 g vegetarischer Feta
4 EL Buttermilch
1 EL Butter
2 Eier
1 EL Dill
Prise Salz

Zubereitung:

1. Die Tomaten abbrausen, halbieren, den Grünansatz entfernen und in Würfel schneiden. Die äußere Haut der Frühlingszwiebel entfernen und in Röllchen schneiden. Die Paprika abwaschen, in der Hälfte durchschneiden, das Weiße und das Kerngehäuse entfernen und würfeln.
2. Den Feta ebenfalls in kleine Stücke schneiden.
3. Die Buttermilch und die Eier in eine Schüssel geben, mit Salz würzen und gründlich verquirlen.
4. Eine Pfanne erhitzen und darin die Butter erwärmen. Nun die Eiermischung zugeben und beidseitig anbraten.
5. Das Gemüse sowie den Feta auf das Omelett in der Pfanne geben und zusammenklappen.
6. Vor dem Servieren mit Dill garnieren.

Gemüsepfanne mit Spiegelei

Zutaten für 2 Personen:

1 Knoblauchzehe
½ Zwiebel
2 Eier
200 ml passierte Tomaten
250 g Balkan-Gemüsemischung (tiefgefroren)
100 ml Wasser
1 TL Zucker
1 EL Harissapaste
1 TL Olivenöl
Prise Pfeffer, Salz und gemahlener Kümmel

Zubereitung:

1. Den Knoblauch und die Zwiebel schälen und kleinschneiden.
2. Eine Pfanne erwärmen und darin die Zwiebeln und den Knoblauch etwa 3-4 min andünsten. Die gefrorene Balkan-Gemüsemischung sowie das Wasser zugeben und 4-5 min aufkochen lassen.
3. Die Paste sowie die passierten Tomaten zufügen, alles miteinander verrühren und 5-6 min aufkochen. Danach mit Pfeffer, Salz und Kümmel abschmecken.
4. Den Backofen auf 165 Grad Ober-/Unterhitze oder 140 Grad Umluft vorheizen. Alles in eine Auflaufform füllen und die Eier darüber aufschlagen.
5. Die Auflaufform für etwa 15 min in den Backofen geben und noch warm servieren.

Frittata mit Tomaten und Spinat

Zutaten für 2 Personen:

1 Zwiebel
150 g Tomaten
100 g gefrorener Spinat
4 Eier
100 g Ricotta
1 EL Olivenöl
1 TL Basilikum
Prise Pfeffer und Salz
1 TL Butter

Zubereitung:

1. Zwiebel schälen und kleinschneiden. Die Tomaten abbrausen, halbieren, den Grünansatz entfernen und in würfeln. Den Spinat zum Auftauen in ein Sieb geben und die Flüssigkeit anschließend ausdrücken.
2. Eine Pfanne erwärmen und das Öl darin erhitzen. Zwiebeln hineingeben und glasig andünsten.
3. Danach die Tomaten und den Spinat zugeben und alles gut verrühren.
4. In der Zwischenzeit eine Auflaufform leicht mit der Butter einfetten. Das Gemüse hineingeben, mit Pfeffer und Salz würzen und mit Ricotta garnieren. Die Eier in einer Schüssel aufschlagen und über die Frittata geben.

5. Den Backofen auf 180 Grad Umluft vorheizen. Die Auflaufform für etwa 30 min in den Backofen geben und vor dem Servieren mit Basilikum dekorieren.

Vegetarische Pfannkuchen

Zutaten für 4 Personen:

8 Cocktailtomaten
240 g Mozzarella (Büffelmozzarella)
6 Eier
400 g Mehl
600 ml Milch
4 EL Balsamico-Creme
2 EL Olivenöl
Prise Pfeffer und Salz
4 EL geriebener Grana Padano

Zubereitung:

1. Die Tomaten abbrausen, halbieren, den Grünansatz entfernen und in Scheiben schneiden.
2. Die Eier mit dem Mehl und der Milch in eine Schüssel geben, mit Salz würzen und gründlich verrühren. Danach mit einem Küchentuch abdecken und etwa 15 min stehen lassen.
3. Den Mozzarella in ein Sieb geben, abtropfen lassen und anschließend in Würfel schneiden.
4. Eine Pfanne erwärmen, das Öl hineingeben und erhitzen. Den Teig in die Pfanne geben und ungefähr 2-3 min aufbacken lassen. Danach mit den Tomaten und dem Mozzarella bedecken, mit dem Deckel schließen und weitere 3-4 min backen.

5. Vor dem Servieren mit der Balsamico-Creme beträufeln und dem Reibekäse bestreuen.

Paprika-Bratkartoffeln

Zutaten für 4 Personen:

2 Frühlingszwiebeln
1 rote Paprika
4 Champignons
1 Zwiebel
500 g Kartoffeln
1 TL Sonnenblumenöl
4 Eier
240 ml Eiklar
1 EL gehackte Petersilie
Prise Knoblauchpulver, Pfeffer, Salz, süßes Paprikapulver

Zubereitung:

1. Die äußere Haut der Frühlingszwiebeln entfernen und in Röllchen schneiden. Die Paprika abbrausen, halbieren, das Weiße und das Kerngehäuse entfernen und danach würfeln. Die Champignons putzen und in Scheiben schneiden. Die Zwiebeln schälen und würfeln. Die Kartoffeln schälen, abwaschen und in Scheiben schneiden.
2. Die Eier in eine Schüssel geben, mit Pfeffer, Paprikapulver und Salz abschmecken und anschließend gut verrühren.
3. Das Sonnenblumenöl in einer Pfanne erhitzen und darin die Zwiebeln andünsten. Danach die Kartoffeln zufügen und anbraten.

4. Im Anschluss das Gemüse hinzufügen, immer wieder wenden und noch einmal mit den Gewürzen abschmecken.
5. Sobald die Kartoffeln angebraten sind, die Eier dazu geben, stocken lassen und mit den Kartoffeln verrühren.
6. Vor dem Servieren mit der Petersilie garnieren.

Zucchini mit Reis und Patros-Käse

Zutaten für 4 Personen:

8 Tomaten
2 Zwiebeln
2 kleine Zucchini
2 EL Olivenöl
1 EL Gemüsebrühe
300 g Patros-Käse
200 g Reis
Prise Pfeffer, Salz und Knoblauchpulver

Zubereitung:

1. Die Tomaten abwaschen, halbieren, den Grünansatz entfernen und würfeln. Die Zwiebeln schälen und in Stücke schneiden. Die Zucchini gründlich abwaschen und in dünne Streifen schneiden.
2. Das Olivenöl in einer Pfanne erhitzen. Die Zwiebeln und die Zucchini hineingeben und andünsten.
3. Den Reis nach Packungsanweisung zubereiten und anschließend in einem Sieb abtropfen lassen.
4. Nun den Reis mit in die Pfanne geben. Zum Schluss die Tomaten zufügen und mit den Gewürzen abschmecken.
5. Vor dem Servieren den Patros kleinschneiden, in die Pfanne geben und kurz schmelzen lassen.

Reispfanne mit Zucchini

Zutaten für 4 Personen:

1 Zwiebel
1 kleine Zucchini
1 TL Mehl
1 TL Olivenöl
1 TL Tomatenmark
150 ml Wasser
1 EL Sauerrahm
Prise Paprikapulver

Zubereitung:

1. Die Zwiebel schälen und kleinschneiden. Die Zucchini gründlich abwaschen und anschließend würfeln.
2. Eine Pfanne erhitzen und das Öl darin erwärmen. Die Zwiebeln hineingeben und andünsten. Danach die Zucchini zufügen und 5-6 min köcheln lassen.
3. Danach das Tomatenmark zugeben, verrühren und nochmals 10-12 Minuten garen.
4. Zum Schluss das Mehl langsam zugeben, damit das Gemüse eine sämige Konsistenz erhält.
5. Vor dem Servieren den Sauerrahm zugeben und mit Pfeffer und Salz abschmecken.

Vegetarisches Abendessen

Gemüsepfanne

Zutaten für 2 Personen:

1 Zwiebel
250 g Brokkoli
1 rote Paprika
300 g Kartoffeln
100 ml Sahne
1 EL getrocknete Tomaten (in Öl eingelegt)
1 EL Kräuterfrischkäse
100 g Feta-Käse
1 TL Pinienkerne
1 EL Olivenöl
Prise Pfeffer, Salz, Muskat

Zubereitung:

1. Die Paprika abbrausen, halbieren, das Weiße und das Kerngehäuse entfernen und in kleine Stücke schneiden. Die Zwiebel schälen und kleinschneiden. Den Brokkoli abwaschen und klein schneiden. Die Kartoffeln schälen, in einem Sieb abwaschen und hinterher in Scheiben schneiden.
2. Einen Topf mit Wasser und Salz erwärmen und darin die Kartoffeln für etwa 10-12 min garen.

3. Einen weiteren Topf mit Wasser erhitzen und darin den Brokkoli kochen.
4. Das Öl in einer Pfanne erhitzen und darin die Zwiebeln andünsten. Die Kartoffeln sowie den Brokkoli zugeben und etwa 5 min köcheln lassen.
5. In der Zwischenzeit die getrockneten Tomaten in Stücke schneiden und in die Pfanne geben.
6. Die Pinienkerne fettfrei in einer Pfanne anrösten. Anschließend zum Gemüse und den Kartoffeln geben und mit den Gewürzen abschmecken.
7. Den Feta-Käse leicht zerkrümeln und vor dem Servieren darüber verteilen.

Frikadellen (vegetarisch)

Zutaten für 2 Personen:

2 Karotten
1 rote Paprika
1 kleine Kohlrabi
2 Frühlingszwiebeln
1 kleine Zucchini
50 g braune Champignons
2 EL Flohsamenschalen
2 Eier
2 EL Olivenöl
1 EL italienische Kräuter
Prise Pfeffer und Salz

Zubereitung:

5. Die Paprika abbrausen, halbieren, das Weiße und das Kerngehäuse entfernen. Die Karotte und den Kohlrabi schälen und halbieren. Die Zucchini gründlich abwaschen. Die Frühlingszwiebeln von der äußeren Haut befreien und in Röllchen schneiden.
6. Die Champignons putzen und in Scheiben schneiden.
7. Das Gemüse nun mit einer Reibe reiben und in eine Schüssel füllen. Alle anderen Zutaten, bis auf das Öl hinzufügen und alles gründlich vermischen. Zum Schluss mit den Gewürzen abschmecken.
8. Das Öl nun in eine Pfanne geben und diese erwärmen. Aus der Gemüsemischung kleine Kugeln formen und zu einer Frikadelle

zusammendrücken. Danach in die Pfanne geben und beidseitig gut anbraten lassen.

Überbackener Blumenkohl

Zutaten für 4 Personen:

400 g Blumenkohl
1 Knoblauchzehe
100 ml Sahne
100 ml saure Sahne
25 g Butter
100 g Cheddar-Käse
Prise Pfeffer und Salz

Zubereitung:

1. Die Röschen vom Blumenkohl trennen und in einem Sieb abbrausen. Den Knoblauch schälen und kleinschneiden.
2. Eine Pfanne mit der Butter erhitzen und den Blumenkohl zusammen mit dem Knoblauch andünsten. Sobald der Blumenkohl etwas Farbe bekommen hat, kann er herausgenommen werden.
3. Eine Auflaufform leicht einfetten und den Blumenkohl hineingeben.
4. Die Sahne mit der sauren Sahne vermischen und anschließend mit etwas Salz und Pfeffer würzen. Danach über den Blumenkohl gießen.
5. Den Backofen auf 180 Grad Ober-/Unterhitze vorheizen. Den Cheddar-Käse über den Blumenkohl geben und die Auflaufform für etwa 15-20 min in den Backofen geben.

Paprika-Brot

Zutaten für 2 Personen:

2 Tomaten
2 Knoblauchzehen
1 gelbe Paprika
2 Frühlingszwiebeln
250 g Mozzarella
1 EL gemischte Kräuter
1 EL mittelscharfer Senf
1 TL Olivenöl
2 Scheiben Körnerbrot
2 Scheiben Käse nach Wahl
Prise Chilipulver, Pfeffer und Salz

Zubereitung:

1. Die Tomaten abbrausen, halbieren, den Grünansatz entfernen und in Scheiben schneiden. Die äußere Haut der Frühlingszwiebel entfernen und in Röllchen schneiden. Die Paprika abwaschen, in der Hälfte durchschneiden, das Weiße und das Kerngehäuse entfernen und würfeln. Den Knoblauch schälen und kleinschneiden.
2. Den Mozzarella ebenfalls in kleine Stücke schneiden.
3. Das Öl in einer Pfanne erhitzen und darin die Brotscheiben leicht anbraten. Danach den Senf gleichmäßig auf den Broten verteilen. Danach die Frühlingszwiebeln und den Mozzarella auf die Brote geben.
4. Als nächstes die Tomatenscheiben darüberlegen und mit den Gewürzen würzen.
5. Zum Schluss den Käse auf das Brot geben, das Brot noch einmal in die Pfanne legen, mit dem Deckel schließen und den Käse etwas schmelzen lassen.

Tomaten-Sandwich

Zutaten für 2 Personen (ergibt 2 Sandwiches):

4 Tomaten
8 Scheiben Käse nach Wahl
100 g Butter
4 Scheiben Toast
Prise Pfeffer und Salz

Zubereitung:

1. Die Tomaten abwaschen, halbieren, den Grünansatz entfernen und in Scheiben schneiden.
2. Den Toast goldbraun toasten.
3. Den Toast mit der Butter bestreichen und davon die Hälfte mit dem Käse belegen. Anschließend die Tomatenscheiben darauf verteilen und mit Pfeffer und Salz würzen.
4. Den restlichen Käse darauflegen, mit der zweiten Toastscheibe bedecken und für etwa 2-3 min in den Backofen geben.
5. Sobald der Käse verlaufen ist, kann das Sandwich serviert werden.

Kartoffelsalat mit Spargel

Zutaten für 2 Personen:

2 Zwiebeln
4 Knoblauchzehen
400 g Tomaten
2 Frühlingszwiebeln
2 gelbe Peperoni
500 g weißer Spargel
500 g Kartoffeln
400 ml Gemüsebrühe
100 g Schmand
50 ml Bärlauchöl
1 EL Zucker
80 ml Aprikosenessig

Zubereitung:

1. Zwiebeln und Knoblauch schälen und kleinschneiden. Die Tomaten abbrausen, halbieren, den Grünansatz entfernen und in würfeln. Die äußere Haut der Frühlingszwiebeln entfernen und kleinschneiden. Die Peperoni abbrausen und würfeln. Den Spargel schälen und vierteln. Die Kartoffeln schälen und in Scheiben schneiden.
2. Die Gemüsebrühe in einen Topf geben, die Kartoffeln hinzufügen und etwa 15 min garen lassen.
3. 5 min vor Ende der Garzeit den Spargel und den Zucker zugeben. Danach alles in einem Sieb abgießen und etwas auskühlen lassen.
4. Die restlichen Zutaten in eine Schüssel geben. Die Kartoffeln und den Spargeln dazugeben und vorsichtig vermischen.

Rührei mit Frühlingszwiebeln

Zutaten für 4 Personen:

2 Tomaten
4 Eier
4 Frühlingszwiebeln
2 Körnerbrote
1 EL gehackte Petersilie
Prise Salz und Pfeffer
1 TL Olivenöl

Zubereitung:

1. Die Tomaten abbrausen, halbieren, den Grünansatz entfernen und in Scheiben schneiden. Die äußere Haut der Frühlingszwiebeln entfernen und kleinschneiden.
2. Die Eier mit den Kräutern in eine Schüssel geben und gut miteinander verquirlen.
3. Das Öl in eine Pfanne geben und darin erwärmen. Die Frühlingszwiebeln und die Tomaten hineingeben und leicht andünsten.
4. Nun die Eiermischung zufügen und stocken lassen. Dabei immer wieder umrühren.
5. Das Rührei auf den Broten verteilen und mit der Petersilie bestreuen.

Brotsalat mit Tomaten

Zutaten für 2 Personen:

1 Knoblauchzehe
250 g Tomaten
1 Schalotte
100 g Fetakäse
1 TL Weißweinessig
2 EL Olivenöl
1 EL schwarze Oliven
3 Scheiben Baguette
Prise Pfeffer und Salz

Zubereitung:

1. Den Knoblauch und die Schalotte schälen und kleinschneiden. Die Tomaten abbrausen, halbieren, den Grünansatz entfernen und in kleine Stücke schneiden.
2. Den Fetakäse bei Bedarf in einem Sieb abtropfen lassen und würfeln.
3. Die Oliven entkernen und anschließend in der Hälfte durchschneiden.
4. Das Baguette in kleine Würfel schneiden. Eine Pfanne erwärmen und darin das Öl erhitzen. Die Baguettes zugeben und von allen Seiten anrösten.
5. Knoblauch, Tomaten und Schalotte zusammen mit den Baguettewürfeln in eine Schüssel geben und alles miteinander vermischen.
6. Vor dem Servieren das Öl und den Essig darüber geben und mit Fetawürfeln garnieren.

Gefüllte Paprika

Zutaten für 2 Personen:

150 g rote Paprika
150 g gelbe Paprika
1 rote Zwiebel
4 EL Wasser
100 g Magerquark
2 Stiele Dill
100 g körniger Frischkäse (fettarm)
Saft einer halben Zitrone
Prise Salz, Currypulver, Pfeffer
1 EL Pinienkerne

Zubereitung:

1. Die Paprika abbrausen, in der Hälfte durchschneiden und das Weiße und das Kerngehäuse entfernen. Die Zwiebeln schälen und kleinschneiden.
2. Den Frischkäse zusammen mit der Zitrone, den Zwiebeln, 4 EL Wasser und den Magerquark in einer Schüssel gut verrühren. Danach mit den Gewürzen abschmecken.
3. Den Dill abbrausen, von den Stielen befreien und kleinschneiden.
4. Eine Pfanne erhitzen und darin die Pinienkerne fettfrei anrösten.
5. Die Käse-Quarkmischung gleichmäßig in die Paprikahälften geben. Zum Schluss mit dem Dill und den Pinienkernen garnieren.

Käsetaler

Zutaten:

4 Tomaten
200 g Hüttenkäse
100 g Vollkornmehl
20 g Petersilie
20 g Schnittlauch
2 Zweige Rosmarin
1 TL Olivenöl
Prise Chilipulver, Pfeffer und Salz

Zubereitung:

1. Die Tomaten abbrausen, halbieren, den Grünansatz entfernen und anschließend in kleine Würfel schneiden. Den Hüttenkäse ebenfalls fein würfeln.
2. Die Petersilie und den Rosmarin abbrausen, trocknen und anschließend kleinschneiden.
3. Den Hüttenkäse zusammen mit den Tomaten, dem Mehl sowie der Petersilie, dem Rosmarin und dem Schnittlauch in eine Schüssel geben und alles miteinander vermischen. Zum Schluss mit den Gewürzen abschmecken. Aus dem Teig gleichmäßig große Kugeln formen und als Frikadelle plattdrücken.
4. Eine Pfanne erwärmen und darin das Öl erhitzen. Die Käsetaler in das heiße Öl geben und beidseitig etwa 8-10 min anbraten.

Veganes Frühstück

Veganer Müsli-Shake

Zutaten für 2 Personen:

2 Handvoll	Brombeeren
200 ml	Milch, (Hafermilch)
300 g	Sojajoghurt (Joghurtalternative)
120 g	Müsli
2 Schuss	Dicksaft, (Agavendicksaft)
etwas	Vanille, gemahlene
n. B.	Erdbeeren, nach Wahl, zur Dekoration

Zubereitung:

Die Zutaten alle in den Mixer geben und gut durchmixen. Den fertigen Shake in ein Glas geben und genießen.

Veganes Rührei mit Kurkuma

Zutaten für 2 Personen:

400 g	Tofu
2	Zwiebeln
2	Knoblauchzehen
1	Paprikaschote
2 Bund	frische Kräuter
2 Prisen	Salz und Pfeffer
2 Prisen	Kurkuma

Zubereitung:

Den Tofu mit der Gabel zerkleinern. Die Zwiebeln, den Knoblauch und die Paprika klein schneiden. Mit etwas Öl anschwitzen. Den Tofu zugeben, alles köcheln lassen bis die Flüssigkeit verdampft ist. Anschließend anbraten.

Mit Salz, Pfeffer und Kurkuma würzen und mit frischen Kräutern garnieren.

Wachmacher-Smoothie

Zutaten für 2 Personen:

2	Bananen
240 ml	Kalter Kaffee
120 ml	Kokosmilch
1 TL	Vanilleextrakt
etwas	Agavendicksaft
2 TL	Kokoschips

Zubereitung:

Nachdem die Banane in Stücke geschnitten wurde, die restlichen Zutaten in den Mixer geben außer dem Vanilleextrakt, Agavendicksaft und die Kokoschips. Alles gut durchmixen.
Mit dem Vanilleextrakt und dem Agavendicksaft nach Belieben verfeinern. Zum Schluss mit den Kokoschips dekorieren.

Heidelbeer-Pudding mit Chia-Samen

Zutaten für 2 Personen:

200 ml	Hafermilch
2 ½ EL	Chiasamen
¼ Pck.	Vanillezucker
½ EL	Agavendicksaft
100 g	Heidelbeeren

Zubereitung:

Hafermilch mit den Chiasamen, dem Vanillezucker und dem Agavendicksaft gut durchrühren und anschließend für 2 1/2 Stunden in den Kühlschrank geben.

Zwischendurch ca. alle 45 Minuten kurz umrühren, damit der Pudding nicht klumpig wird. Anschließend den Pudding mit den Heidelbeeren genießen.

Vegane Frühstücksmilch

Zutaten für 2 Personen:

400 ml	Mandelmilch
400 ml	Haselnussmilch
3	Bananen

Zubereitung:

Alle Zutaten in einen Mixer geben und gut durchmixen. Danach genießen.

Haferbrei mit Sojamilch

Zutaten für 2 Personen:

400 ml	Sojamilch
6 EL	Haferflocken
	Obst nach Wahl

Zubereitung:

Sojamilch und die Haferflocken zusammen aufkochen lassen. In den Brei das klein geschnittene Obst ihrer Wahl hineingeben und genießen.

Veganes Müsli

Zutaten für 2 Personen:

2	Äpfel
1	Banane
4 EL	Sonnenblumenkerne
2 EL	Sesam
3 EL	Chia-Samen
2 EL, gehäuft	Sojajoghurt
2 Schuss	Hafermilch

Zubereitung:

Nachdem die Äpfel und die Banane in Würfel geschnitten wurden, geben Sie die Samen und die Kerne zusammen in eine Schüssel.
Die Hafermilch und den Joghurt unterrühren. Das Müsli etwas ziehen lassen, bis die Chia-Samen aufgequollen sind. Fertig ist das Müsli, genießen Sie es.

Spinat-Kiwi-Smoothie

Zutaten für 2 Personen:

100 g	Spinat
2	Bananen
2	Orangen
2	Kiwis
6 EL, gehäuft	Kokosflocken
2 TL, gehäuft	Kokosöl
etwas	Wasser

Zubereitung:

Nachdem alle Zutaten gewaschen und zerkleinert sind, geben Sie alles in den Mixer und mixen Sie alles gut durch.
Je nach Geschmack mit Wasser verdünnen, fertig ist der Smoothie zum Verzehren.

Grießbrei

Zutaten für 2 Personen:

120 g	Weichweizengrieß
800 ml	Sojamilch mit Vanillegeschmack

Zubereitung:

Die Sojamilch in einen Topf geben, dazu den Grieß einrühren und unter ständigem Rühren aufkochen lassen.

Den Grießbrei können Sie warm oder kalt genießen.

Reiswaffeln mit Schokoladen-Aufstrich

Zutaten für 2 Personen:

2	Bananen
1 TL	Kakaopulver
einige	Reiswaffeln

Zubereitung:

Die zerkleinerte Banane und das Kakaopulver gut verrühren, so dass ein Mus entsteht. Nun kann das Mus auf die Reiswaffeln gestrichen werden und Sie können das leckere Frühstück genießen.

Veganes Mittagessen

Rote Kokos-Linsen-Suppe

Zutaten für 2 Personen:

2	Knoblauchzehen
2	Zwiebeln
2 EL	Öl
180 g	Rote Linsen
1 Dose	Tomaten (425 ml)
1 Dose	Kokosmilch (425 ml)
600 ml	Instant Gemüsebrühe
2 TL	Chilipulver
1 TL	Kurkuma
	Salz und Pfeffer
	gemahlen Koriander

Zubereitung:

Nachdem der Knoblauch und die Zwiebeln geschält und in kleine Würfel geschnitten sind, in einem Topf das Öl erhitzen. Knoblauch und Zwiebeln hineingeben und anschwitzen. Die Linsen hinzufügen und unter ständigem Rühren kurz mit andünsten.

Mit den Tomaten, der Kokosmilch und der Brühe ablöschen. Zusammen aufkochen und 20 Minuten köcheln lassen. Die Tomaten je nach Geschmack leicht zerkleinern. Mit dem Chilipulver, Kurkuma, Salz, Pfeffer und Koriander nach Belieben würzen.

Spaghetti Arrabiata

Zutaten für 2 Personen:

250 g	Spaghetti
1 große	Zwiebel
1	Frische Chilischote
1	Knoblauchzehe
	Salz und Pfeffer
	Olivenöl
1 Dose	Tomaten

Zubereitung:

Etwas Olivenöl in einer Pfanne erhitzen. Die Zwiebeln würfeln, die Chilischote zerkleinern und mit dem gehackten Knoblauch alles zusammen anbraten.

Die Dosentomaten zerkleinern und in die Pfanne hinzugeben. Je nach Geschmack mit etwas Tomatensaft aus der Dose verfeinern.

Mit Salz und Pfeffer würzen. Und nach Geschmack Chili hinzugeben.

Alles zusammen etwas kochen lassen und gleichzeitig die Spaghetti kochen.

Die Sauce auf die Spaghetti geben und genießen.

Kichererbsencurry

Zutaten für 3 Personen:

400 g	Kartoffeln
250 g	Karotten
	Salzwasser
130 g	Gekochte Kichererbsen
130 g	Gekochter Mais
250 ml	passierte Tomaten
2 EL	Currypulver
½ TL	Harissa Paste
1 TL	Salz
2 EL	Tomatenmark
200 ml	Kokosmilch

Zubereitung:

Nachdem die Kartoffeln und die Karotten geschält sind, in kleine Würfel schneiden und für ca.10 Minuten in Salzwasser kochen.

Die Kartoffel- und Karottenwürfel zusammen mit dem Mais und den Kichererbsen kurz anbraten. Das Tomatenmark, Currypulver und die Harissapaste hinzugeben und alles miteinander verrühren. Anschließend noch die Tomaten und das Salz hinzugeben und mit Salz abschmecken. Dann 10 Minuten köcheln lassen.

Zum Schluss die Kokosmilch unterrühren und bei niedriger Hitze für ca. 5 Minuten nochmals köcheln lassen. Als Beilage empfehlen wir Reis.

Pasta-Kokosmilch-Curry

Zutaten für 2 Personen:

230 g	Linguine oder Spaghetti
2	Paprikaschoten rot und orange
1 Bund	Frühlingszwiebeln
1	Möhre
1 Zehe/n	Knoblauch
1 EL	Currypulver
½ TL	Salz
400 ml	Kokosmilch
350 ml	Gemüsebrühe
n. B.	Nüsse
n. B.	Basilikum

Zubereitung:

Außer den Nüssen und dem Basilikum alle Zutaten in einen Topf geben, auch die Linguine oder Spaghetti und alles zusammen zum Kochen bringen. Nachdem alles aufgekocht ist, die Hitze reduzieren und bei geschlossenem Deckel nochmal alles 10 - 15 Minuten köcheln lassen.

Zwischendurch mehrmals umrühren, damit nichts anbrennt.

Gleichzeitig die Linguine oder Spaghetti kochen und mit den zerkleinerten Nüssen und dem Basilikum anrichten und genießen.

Knoblauchspaghetti

Zutaten für 2 Personen:

250 g	Spaghetti
2	Tomaten
1	Knoblauchzehe
3 EL	Olivenöl
1 TL	Basilikum, getrocknet
	Salz

Zubereitung:

Die Spaghetti in Salzwasser zum Kochen bringen.

Gleichzeitig die Tomaten in kleine Würfel schneiden und den Knoblauch zerkleinern.

Den Knoblauch mit etwas Olivenöl in einer Pfanne anbraten. Die fertigen Nudeln hinzugeben und alles zusammen etwa 2 Minuten anbraten.

Die klein geschnittenen Tomatenwürfel über die Spaghetti geben, mit Basilikum dekorieren und mit etwas Salz je nach Geschmack abschmecken und genießen.

Kartoffeln a la Mangold

Zutaten für 2 Personen:

1 Bund	Mangold
1 kg	Kartoffeln
1 Zehe	Knoblauch
n.B.	Olivenöl
	Salz und Pfeffer

Zubereitung:

Den Strunk des Mangolds abschneiden und die dunkelgrünen Blätter vom Mittelstrunk entfernen. Dann klein schneiden und mit dem Knoblauch in einen Topf geben und mit Olivenöl andünsten.

Gleichzeitig die Kartoffeln kochen. Anschließend die Kartoffeln und den Mangold zusammen mischen. Je nach Geschmack mit Salz und Pfeffer abschmecken und etwas Olivenöl hinzugeben. Fertig, nun können Sie das Gericht genießen.

Reis mit Tofu allerlei

Zutaten für 2 Personen:

1	Zwiebel
3	Knoblauchzehen
2 EL	Öl
½ TL	Kreuzkümmel
½ TL	Zimt
½ TL	Ingwer
2	Rote Chilischoten
½ Tasse	Gemüsebrühe
200 g	Tofu
240 g	Tomaten aus der Dose
1 kl. Dose	Kichererbsen, (240g)
½ TL	Salz
1 EL	Petersilie, gehackt
125 g	Reis

Zubereitung:

Reis kochen.

Nachdem der Tofu in kleine Würfel geschnitten ist, mit einem Esslöffel Öl in einer Pfanne anbraten und in eine Schüssel geben und zur Seite stellen.

Die Zwiebel mit dem Knoblauch in die Pfanne geben und mit einem Esslöffel Öl anbraten.

Die restlichen Gewürze mit den Kichererbsen und den Tomaten hinzugeben und alles ca. 5 Minuten leicht köcheln lassen. Zum Schluss die gebratenen Tofuwürfel unterrühren und mit Petersilie garnieren. Auf dem Reis anrichten und genießen.

Buchweizen – Bratlinge

Zutaten für 2 Personen:

1 Becher	Buchweizen
1 Becher	Wasser
1 TL	Salz
5 EL	Mehl
1	Zwiebel
	Knoblauch
1 EL	Sojasauce
3 EL	Öl

Zubereitung:

Mit Wasser und Salz den Buchweizen kochen und aufquellen lassen. Das Mehl hinzugeben und verrühren. Mit der Zwiebel, den Knoblauch und die Sojasauce alles zusammen verkneten.
Bratlinge formen und im heißen Öl von jeder Seite ca. 5-6 Minuten goldbraun anbraten.

Tomatenreis

Zutaten für 2 Personen:

200 g	Reis
2 TL	Brühe, instant
n. B.	Wasser
1	Zwiebel
2 EL	Tomatenmark
1	Tomate, gehäutet und gewürfelt
½ TL	Sambal Oelek
2 EL	Öl

Zubereitung:

Die Zwiebel in Würfel schneiden und in einem Topf mit Öl anbraten. Den Reis dazugeben und mitbraten. Mit Wasser auffüllen, Menge wie man normalerweise zum Reis kochen benötigt. Die Instant-Brühe hinzugeben. Alles zusammen fertigkochen. Das überschüssige Wasser abgießen. Zum Schluss die restlichen Zutaten hinzufügen und alles zusammen gut durchmischen. Die Masse formen und genießen.

Kürbis-Pommes

Zutaten für 2 Personen:

1	Hokkaido Kürbis
	Salz
	Pfeffer
2 EL	Öl
	Paprikapulver

Zubereitung:

Nachdem der Kürbis gewaschen, halbiert und die Kerne entfernt wurden, schneiden Sie ihn in ca. 1 cm breite und ca. 8 cm lange Streifen. Mit der Hautseite nach unten auf ein vorgefettetes Backblech legen.

Die 2 Esslöffel Öl mit dem Salz, dem Pfeffer und dem Paprikapulver alles zusammen verrühren und mit einem Pinsel die Pommes-Streifen bestreichen.

Den Backofen vorheizen und die Pommes für ca. 15-20 Minuten bei 180° Ober- und Unterhitze backen.

Vegane schnelle Desserts

Vegane Pfannkuchen

Zutaten für 2 Personen:

2 Tassen	Apfelsaft *
4 TL	Backpulver
4 Tassen	Weizenmehl
4 TL	Zucker
2 Tassen	Sojamilch
2 Prisen	Salz
	Pflanzenfett, zum Braten

Zubereitung:

Backpulver mit dem Mehl vermischen. Die restlichen Zutaten hinzugeben, außer dem Pflanzenfett, zu einem geschmeidigen Teig verkneten.

Das Pflanzenfett in einer Pfanne erhitzen und die Teigmasse für einen Pfannkuchen hineingeben und in der Pfanne verteilen. Ca. 2 - 3 Minuten von jeder Seite anbacken.

Je nach Geschmack mit Puderzucker oder diversen anderen Zutaten verfeinern (Früchte, Konfitüre, usw.).

* Bitte darauf achten, dass der Apfelsaft nicht mit Gelatine geklärt wurde, sonst ist er nicht mehr vegan.

Apfelmus

Zutaten für 2 Personen:

½ kg	Äpfel
50 ml	Wasser
	Zimt
	Zucker

Zubereitung:

Nachdem die Äpfel gewaschen und entkernt sind, in kleine Würfel schneiden. Mit dem Wasser für ca. 10 Minuten in einem Topf aufkochen lassen. Dabei regelmäßig umrühren, damit nichts anbrennt.

Je nach Geschmack mit Zucker oder Zimt abschmecken und genießen.

Gebackene Haferflocken

Zutaten für 2 Personen:

100 g	Haferflocken
400 ml	Mandelmilch
2	Bananen
2 Prisen	Zimt
2 Prisen	Backpulver
	Süßstoff
	Obst zum Belegen

Zubereitung:

Die Zutaten Haferflocken, Mandelmilch, 2 Prisen Backpulver, je nach Geschmack Zimt und die zwei zerdrückten Bananen alle zusammen gut vermischen und nach Bedarf mit Süßstoff nachsüßen.

In eine kleine Auflaufform den Teig geben. Mit dem Obst Ihrer Wahl belegen und für ca. 15 Minuten bei 250 °C backen.

Vegane Mousse au Chocolat

Zutaten für 2 Personen:

125 g	Seidentofu
75 g	vegane Zartbitterschokolade
½ EL	Rum
Pck.	Vanillezucker
evtl.	Zucker
evtl.	Kokosraspel, und / oder Obst, zum Garnieren

Zubereitung:

In einem Topf die Schokolade schmelzen. Im Mixer den Tofu zerkleinern und mit den restlichen Zutaten alles zusammen nochmal gut durchmixen, evtl. mit Zucker nachsüßen.

Die Mousse au Chocolat in eine Schüssel geben und in den Kühlschrank stellen. Je nach Geschmack mit den Kokosraspeln oder Obst garnieren und genießen.

Veganer Tassenkuchen

Zutaten für 2 Personen:

8 EL	Mehl
12 EL	Sojamilch
2 EL	Zucker
2 EL	Kakaopulver
1 Pck.	Vanillezucker
½ EL	Backpulver
1 EL	Zitronensaft
2 EL	Öl
	Puderzucker

Zubereitung:

Alle Zutaten in einer für die Mikrowelle geeigneten Tasse vermengen. bis keine Klümpchen mehr da sind. Am Rand den Teig abwischen, so kann der Rand beim Backen nicht verkrusten.

Für 2 bis 2 ½ Minuten bei 700 Watt in die Mikrowelle geben.
Obacht!
Die Tasse wird heiß sein!

Je nach Geschmack mit Puderzucker garnieren und genießen.

Smoothie aus Waldbeeren

Zutaten für 2 Personen:

350 ml	Orangensaft
1	Banane, in Scheiben geschnitten
450 g	Beeren, gemischte (Waldbeeren wie Blaubeeren, Himbeeren, Brombeeren, TK)
1	Orangen, zum Garnieren

Zubereitung:

Den Orangensaft, die geschnittene Banane und die Waldbeeren alles zusammen in einen Mixer geben und gut durchmixen. Je nach Geschmack mit Orangenscheiben garnieren und genießen.

Melonen-Eis

Zutaten für 4 Personen:

1	Wassermelone
n. B.	Zitronensaft
n. B.	Zucker

Zubereitung:

Nachdem die Wassermelone entkernt wurde, das Fruchtfleisch herausnehmen und mit dem Zitronensaft in einen Mixer geben und gut durchmixen. Je nach Geschmack mit Zucker abschmecken. Die Masse für ca. 4-5 Stunden ins Eisfach stellen.

Das gleiche Eis kann auch mit einer Honigmelone zubereitet werden.

Tropischer Obstsalat

Zutaten für 2 Personen:

1	Mango
2	Kaki
2	Kiwis
1	Apfel
1	Zitrone
1	Orange

Zubereitung:

Die Mango und die Kiwi schälen und in kleine Würfel schneiden. Den Apfel auch in kleine Würfel schneiden, er kann mit oder ohne Schale sein und alles in eine Schüssel geben und gut durchmischen.

Den ausgepressten Saft der Zitrone und Orange in die Schale mit dem Obst geben. Alles erneut durchmischen und je nach Geschmack in den Kühlschrank stellen und ziehen lassen oder direkt genießen.

Bananeneis

Zutaten für 2 Personen:

2 Bananen

Zubereitung:

Die Banane in Scheiben schneiden und in den Mixer geben. Das Mus über Nacht ins Eisfach geben. Am nächsten Morgen ist das Eis fertig zum Genießen.

Pflaumenkompott

Zutaten für 2 Personen:

500 g	Pflaumen oder Zwetschgen
5 EL	Rotwein (alternativ Wasser)
75 g	Zucker
1 Pck.	Vanillinzucker
½ TL	Zimt

Zubereitung:

Nachdem die Pflaumen bzw. die Zwetschgen gewaschen, entstielt und entsteint sind, werden sie geviertelt. Dann mit dem Rotwein (oder Wasser), Zucker, Vanillinzucker und Zimt alles zusammen zum Kochen bringen.

Die Pflaumen bzw. Zwetschgen auf niedriger Herdstufe weichkochen. Das Kompott erkalten lassen und je nach Geschmack mit Zucker nachsüßen und genießen.

Schlusswort

Egal welchen Ernährungsstil Sie bevorzugen, ob vegetarisch oder vegan, in diesem Buch finden Sie Rezepte, die allen Vorlieben gerecht werden.

Wir wünschen Ihnen viel Spaß und Erfolg beim Nachkochen dieser tollen Rezepte.

Wir würden uns freuen über eine positive Bewertung.

Sie sehen, dass wir Wert auf die Rezepte gelegt haben und nicht auf die Bilder. Dadurch können wir diesen fantastischen, fairen Preis anbieten.